Histoires du chien
qui avait une ombre d'enfant

Hervé Walbecq

Histoires du chien qui avait une ombre d'enfant

Illustrations de l'auteur

Neuf

l'école des loisirs

11, rue de Sèvres, Paris 6e

Du même auteur à *l'école des loisirs*

Collection NEUF

Histoires d'enfants à lire aux animaux
Histoires du loup qui habite dans ma chambre
Histoires de la maison qui voulait déménager

© *2015, l'école des loisirs, Paris*
Loi n° 49.956 du 16 juillet 1949 sur les publications
destinées à la jeunesse : mai 2015
Dépôt légal : mars 2016
Imprimé en France
par Gibert-Clarey-Imprimeurs
à Chambray-Les-Tours (37).
ISBN 978-2-211-22201-3

Mon nez s'appelle Jean-Claude

Mon nez s'appelle Jean-Claude.

Ce n'est pas moi qui lui ai donné ce prénom.

Il se l'est choisi tout seul. Si j'avais pu donner mon avis, j'aurais proposé autre chose, mais mon nez n'en fait qu'à sa tête.

Un matin, il m'a dit :

– À partir d'aujourd'hui, je m'appelle Jean-Claude. Que ça te plaise ou non, c'est comme ça.

Tous les nez ont un nom.

Il y en a qui portent un nom à particule, d'autres un simple surnom, d'autres un nom étranger… En général, ils se les inventent eux-mêmes. Mais, s'ils n'ont pas d'imagination, ce sont les autres nez qui les leur donnent. Quand ils se croisent dans la rue ou lors d'un dîner, ils se reconnaissent et se saluent. Ils s'envoient des éternuements. C'est leur langage.

Il faut se méfier des nez.

Ce sont de grands malicieux, des petites machines à fabriquer des choses bizarres.

Allez savoir ce qu'ils mijotent entre vos joues quand vous êtes en société…

Jean-Claude me fait souvent de très vilains coups.

Parfois, au réveil, il me regarde droit dans les yeux et me dit soudain : «Tu as une sale tête aujourd'hui. Tes sourcils sont tout de travers, tes oreilles complètement décollées, j'irais bien voir ailleurs.» Je fais comme si je ne l'entendais pas, je me prépare pour sortir, je mets mon manteau, mes chaussures, mon chapeau, mais au moment de franchir la porte d'entrée, il refuse tout simplement de m'accompagner. Il dit qu'il a honte de se promener avec moi dans la rue. Il exige que je porte un cache-nez, même en été, pour que les autres ne le reconnaissent pas.

Il faut savoir qu'il a plein d'amis dans le quartier. Pas toujours de bonnes fréquentations. N'importe quel nez lui plaît. Parfois, je fais la queue dans un magasin et voilà qu'à l'autre caisse, il aperçoit un de ses amis. Alors là, c'est

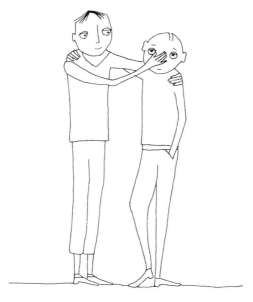

fini pour moi. Je me retrouve prisonnier d'une terrible crise d'éternuements. Je ne peux plus m'arrêter. Tout le monde me regarde. J'ai honte. Je sors mon mouchoir de ma poche, je le mets

devant ma bouche et à voix basse, je murmure : « Jean-Claude, atchoum, ça suffit maintenant, nous sommes dans un magasin, atchoum, tiens-toi bien. » Mais l'autre nez a déjà reçu les messages. Il engage la conversation et se met à son tour à éternuer. C'est extrêmement gênant d'éternuer avec un inconnu. On s'échange des Kleenex, on se dit des banalités. Cela ne me plaît pas du tout.

Enfin, je préfère encore ça plutôt qu'il s'en aille, qu'il me quitte pour toujours.

Il en serait capable !

L'autre jour, il m'a demandé de partir en vacances, tout seul, sans moi. Il voulait faire une promenade à la montagne avec le nez d'une amie. Comme il me l'a demandé gentiment, et surtout comme je voulais éviter qu'il me fasse encore une sinusite ou un gros rhume, j'ai appelé mon amie au téléphone. Elle était déjà au courant.

— Monique, mon nez, m'en a parlé, m'a-t-elle répondu. Moi je ne suis pas tout à fait d'accord, j'ai une réunion de famille dans quinze jours, ce n'est déjà pas toujours évident, si en plus j'y vais sans mon nez, on va encore me prendre pour une folle.

— On peut leur lâcher la bride quelques jours… seulement jusqu'à dimanche…

— Bon… d'accord… dimanche vingt heures, mais pas plus.

J'étais bien content.

Le lendemain, nous nous sommes retrouvés dans une petite gare isolée. Nous avons mis nos nez dans le train, direction les Pyrénées, puis nous sommes partis nous cacher à la campagne. Je préférais ne pas croiser les gens de mon quartier.

Finalement, nous n'avons pas passé une si mauvaise semaine que cela : nous avons fait des films rigolos et des photos très surprenantes.

Le dimanche soir, nos nez étaient au rendez-vous. Tout bronzés. Le mien avait même pris un

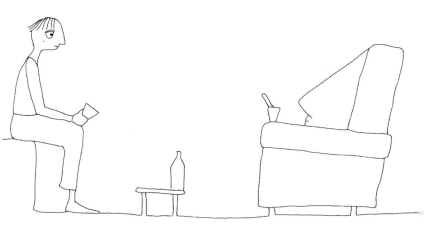

coup de soleil. Nous nous sommes installés dans le jardin avec des limonades bien fraîches (c'était le mois d'août, il faisait encore très chaud), et ils nous ont raconté leur voyage. Ils n'avaient fait qu'une toute petite randonnée. Une randonnée de nez. Quelques kilomètres, c'est tout. Mais nous nous sommes bien gardés de sourire. Chacun fait le chemin qu'il peut.

Ils s'entendaient à merveille.

Grâce à cette escapade au grand air, le nez de mon amie était devenu vraiment magnifique. Comme je la connais bien, je me suis permis de le lui dire.

– Le tien n'est pas mal non plus, m'a-t-elle répondu.

Dans la glace, nous nous sommes amusés à les comparer. Moi je les trouvais très beaux tous les deux, mais mon amie, elle, préférait le mien.

– Décidément, m'a-t-elle dit, le tien a plus d'allure. Il est plus long, plus fin, plus élégant. Vraiment, je l'aime beaucoup.

– Tu le veux ? lui ai-je proposé.

– Pourquoi pas !

Alors, nous avons fait un échange. Je lui ai donné mon nez et elle a pris le mien. Le résultat était plutôt réussi.

– Regarde comme ils sont mignons… m'a dit mon amie. On aurait presque envie qu'ils fassent des bébés.

– Ça serait bien joli, en effet, une famille de petits nez comme les nôtres… ai-je répondu.

– Eh bien, marions-les ! s'est-elle exclamée.

Et ce soir-là, sans le dire à personne, nous avons marié nos nez.

Depuis ce jour, ils ne se sont pas quittés. Ils s'aiment. Je crois même qu'ils vont faire des bébés. J'ai déjà des idées pour les prénoms. Mon amie aussi d'ailleurs.

Mais il vaut mieux les laisser choisir.

De toute façon, comme tous les nez de la terre, je sais très bien qu'ils n'en feront qu'à leur tête.

Le jardin sur ma tête

J'ai dormi longtemps au bord de cette rivière, et quand je me suis réveillé, le printemps était déjà arrivé. Toutes les fleurs s'étaient ouvertes. Chaque pistil avait libéré le pollen qu'il contenait. Il s'était déposé sur les pierres, les arbres, l'herbe tout autour de moi. Mes habits en étaient complètement recouverts.

J'ai secoué ma veste, frotté mon pantalon, et j'ai pris le chemin de ma maison.

– Quelle longue sieste, me suis-je dit en route, je devais vraiment en avoir besoin…

Puis, comme j'étais bien reposé, je n'y ai plus

pensé. J'ai fait toutes les choses que l'on doit faire au printemps : de grandes promenades dans la forêt, quelques travaux dans le potager, et deux ou trois balades à vélo pour visiter les amis.

Ce sont eux, justement, qui m'ont averti.

– Depuis combien de temps ne t'es-tu pas coiffé ? m'a demandé mon meilleur ami.

Sa question m'a beaucoup surpris. Nous n'avons pas vraiment l'habitude de parler de nos cheveux quand nous nous voyons.

– Regarde-toi dans la glace, a-t-il repris.

Je suis allé m'observer dans sa salle de bain et là, j'ai découvert que j'avais la tête pleine de fleurs.

Un vrai bouquet !

Depuis quelque temps justement, je me disais que le printemps était particulièrement parfumé.

Où que j'aille, j'étais toujours accompagné d'une délicieuse odeur. J'avais remarqué aussi que les choses, sous mes yeux, prenaient parfois une teinte assez singulière. Quand je marchais, j'avais devant moi un très léger rideau d'étoiles. Comme si, de ma tête, il tombait de la neige. Pas de la neige blanche, mais plutôt jaune, comme le soleil.

J'ai réalisé alors qu'après ma longue sieste, je ne m'étais pas passé la main dans les cheveux pour chasser le pollen resté sur mon crâne. Les petites graines avaient pris racines, les fleurs avaient poussé, et maintenant les pétales, à leur tour, s'envolaient de mes cheveux.

Pendant mon sommeil, un jardin avait poussé sur ma tête !

– C'est une nouvelle coiffure que je me suis inventée, ai-je affirmé en revenant de la salle de bain.

Je ne voulais pas avoir l'air d'un garçon trop étourdi.

– Ah, tu me rassures, m'a-t-il répondu. Eh bien, cela te va à merveille, c'est très joli.

– Tu trouves ?

– Parfaitement. C'est gai, joyeux, tout à fait printanier. Et puis ça fait de la compagnie. Regarde, tu as un oiseau-mouche dans un épi.

Effectivement, un petit oiseau sifflait dans mes cheveux !

Depuis ce jour, j'ai gardé l'oiseau sur ma tête.

Et surtout, je me suis abstenu de changer de coiffure.

D'ailleurs, mon ami aussi a fait des plantations sur son crâne. Lui, il préfère les légumes. Au village, les gens trouvent ça un peu étrange de se promener avec une carotte en guise de chapeau, mais moi je dis que cela ne les regarde pas.

Après tout, chacun ses goûts.

Les postillons multicolores

Je fais des postillons multicolores.

Tout dépend des histoires que je raconte.

Si je parle de coquelicots, de fraises ou de tomates, ils sont tout rouges. Mais si je parle de la mer, du ciel au printemps ou des yeux d'un petit bébé, aussitôt ils deviennent bleus.

Dans la rue, je m'amuse beaucoup.

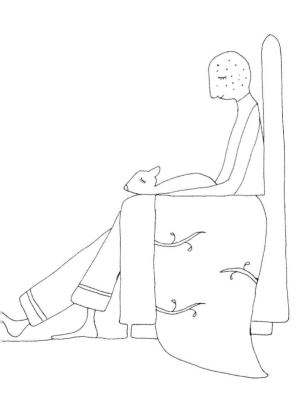

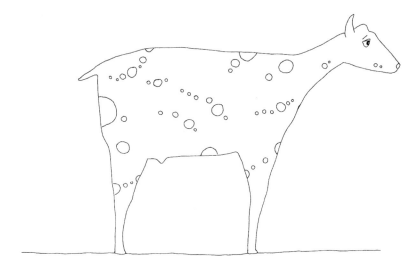

Quand, sur un banc, j'aperçois un monsieur qui a l'air un peu triste, un monsieur seul, comme il y en a beaucoup, avec une cravate et une veste noire, je m'assois à ses côtés, et, s'il est d'accord, je lui raconte des histoires de fleurs. Je lui parle de pétunias, de lilas, de pâquerettes. Tout doucement, sur son costume, apparaissent plein de petites taches. Quand je le quitte, le monsieur n'est plus triste du tout. Il est très beau. Il ressemble à un bouquet. Les papillons se posent sur ses épaules, les touristes le prennent en photo et les autres messieurs lui font des petits sourires.

Souvent, les gens qui ont assisté à la scène me demandent à leur tour de leur raconter une histoire. Ils choisissent une couleur, je monte sur un cageot ou sur une poubelle et j'invente quelque chose. S'ils veulent être jaunes, je leur parle de citrons, s'ils veulent être verts, je leur parle de forêts… Et ainsi de suite.

Je peux même créer des postillons carrés, ovales, ou complètement tordus.

Mais ceux que je préfère, ce sont les postillons qui prennent l'apparence des histoires que je raconte.

Pour cela, il faut de la place.

Si, par exemple, j'invente une histoire de vaches (j'adore les vaches) et bien il peut arriver qu'au milieu de mon discours, un tout petit postillon en forme de vache sorte de ma bouche. Au début, il est vraiment minuscule. On dirait un postillon banal, sans intérêt particulier. Puis tout doucement, il commence à grossir. On distingue d'abord les pattes, puis la tête de la vache, et enfin son corps entier. Et soudain, il remplit toute la pièce ! Une énorme vache en postillon flotte devant mes yeux. Alors là, quelle rigolade !

J'ouvre la fenêtre, je m'accroche sur son dos et je m'envole. Là-haut, je continue mon histoire. Je fais de nouveaux postillons. Je crée d'autres vaches. J'invente tout un troupeau.

Mais attention, pour que cela fonctionne bien, il faut que je parle de ce que j'aime vraiment, que je sois parfaitement convaincu. Sinon ça ne marche pas.

Car, quand je parle de ce qui me passionne, quand j'invente une histoire extraordinaire, je m'agite, je m'emballe, je fais des tas de mouvements avec la tête, avec les bras, et forcément, mes postillons sont très dynamiques. Ils sortent de ma bouche comme des fusées. Ils emportent avec eux toutes les images que j'avais dans la tête. Ces images sont tellement énergiques qu'elles prennent vie sous mes yeux. Je peux les toucher, les attraper, faire ce que je veux avec elles.

Bien sûr, il y a des gens jaloux, des gens qui ne sont même pas capables de faire un tout petit postillon de rien du tout. Ils essayent mais ils n'y arrivent jamais. Le problème, avec eux, c'est qu'ils racontent souvent des histoires pas du tout intéressantes. Des histoires qui ennuient tout le monde et qui font bâiller. Le bâillement, c'est l'ennemi du postillon. Je leur dis pourtant :

— Si vous voulez postillonner, racontez-nous quelque chose de rigolo, quelque chose qui nous fasse vraiment peur, ou qui soit complètement fou.

Mais non, ils ne comprennent rien. Ils continuent à raconter leurs petits trucs casse-pieds. Leurs postillons sont tout mous. Évidemment, ils ne se transforment jamais. Après, ces gens viennent me voir. Ils m'en veulent. Ils sont en colère. Mais ce n'est pas de ma faute.

Chacun est libre d'inventer les histoires qu'il veut.

Chacun est libre de choisir la couleur des histoires qu'il raconte.

C'est pourquoi, si, comme moi, vous avez la chance de faire des postillons, méfiez-vous. Si les gens s'énervent quand vous parlez, c'est simplement parce qu'ils sont jaloux. Ne les vexez pas. Allez raconter vos histoires ailleurs… à d'autres postillonneurs.

Ça ne sert à rien de faire de la peine aux gens.

Faire des postillons, c'est un privilège, mais c'est aussi une responsabilité.

Les pêcheurs de larmes

C'est très difficile d'apercevoir les pêcheurs de larmes.

Ils vivent tout au fond de nos yeux et sortent seulement quand on pleure.

Le reste du temps, ils se font tout petits, ils se blottissent au cœur de nos pupilles et ils attendent.

Dès qu'une larme apparaît sur le bord de nos paupières, ils se glissent à l'intérieur et attrapent les petits poissons qui s'y cachent.

Peu de gens savent que les pêcheurs de larmes existent car la plupart du temps les gens

se cachent pour pleurer. Ou, s'ils ne se cachent pas, ils mettent un mouchoir sur leur visage et alors ils les écrasent sans même s'en rendre compte.

Les pêcheurs de larmes ont beaucoup de mal à vivre dans les yeux d'une grande personne.

Ils préfèrent ceux des bébés.

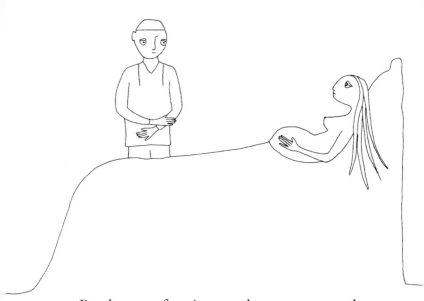

Pendant neuf mois, quand nous sommes dans le ventre de notre maman, ils se préparent. Dès notre premier cri, ils sortent leurs cannes à pêche, leurs filets à crevette et ils glissent sur nos joues. Personne ne les remarque. La maman est bien trop fatiguée et les sages-femmes n'ont pas le temps de s'occuper d'eux. Ils font des réserves, ils remplissent leurs paniers. Quand ils ont fini, ils font de la luge sur nos pommettes.

C'est tout lisse, très doux.

Ils s'amusent beaucoup.

Mais si le bébé est un garçon, toute leur vie, ensuite, ils regrettent ce délicieux moment.

Les pêcheurs de larmes n'aiment pas vraiment les joues des messieurs. D'abord parce qu'il y a beaucoup de messieurs qui s'empêchent de pleurer, et surtout parce qu'ils détestent les poils. Quand, d'un seul coup, après des siècles de sécheresse, un vieux monsieur verse à nouveau une larme, les petits pêcheurs sont complètement perdus. Avec leurs bateaux, ils s'embourbent dans sa barbe. Ils coincent leurs rames dans ses rides, ne retrouvent plus le chemin des yeux et restent là, bloqués sur les joues.

Comme des arbres dans le désert.

C'est pourquoi il ne faut jamais oublier de pleurer.

Tout au long de sa vie, régulièrement, il est bon de verser quelques larmes. Ainsi, au fil des ans, les pêcheurs s'adaptent. Ils utilisent nos rides comme des rivières. Notre barbe devient pour eux une forêt. Ils connaissent les zones dangereuses. Ils les contournent, prennent un autre chemin, empruntent le nez ou la bouche.

Et puis, si l'on s'arrête trop longtemps de pleurer, les pêcheurs finissent tout simplement

par mourir. Et ça, c'est terrible. On a beaucoup de mal à les apercevoir dans les yeux de quelqu'un, mais par contre, quand ils sont morts, cela se voit tout de suite.

Un regard où il n'y a plus aucun pêcheur, c'est un regard froid, éteint, sans vie. On n'a pas du tout envie d'être ami avec la personne à laquelle appartient ce regard.

Elle est toujours seule.

Si vous connaissez des gens qui ont décidé de n'être plus jamais tristes, de ne plus jamais pleurer, mais qui, malgré tout, ne veulent pas perdre leurs pêcheurs, vous pouvez leur dire qu'ils peuvent verser des larmes de joie. Elles aussi contiennent des poissons.

Et les pêcheurs les apprécient tout autant.

Je crois même qu'ils les préfèrent.

Elles sont beaucoup plus rares.

L'élevage d'oreilles

Mes oreilles se reproduisent.

Ce matin, quand je me suis réveillé, j'en avais quatre sur la tête.

À côté de mon ancienne paire, deux petites oreilles avaient poussé pendant la nuit.

Aussitôt j'ai pris mon manteau, mon parapluie car il pleuvait, et je me suis rendu chez le médecin. Mais à ma grande surprise, il a trouvé ça tout à fait normal. Il ne m'a même pas envoyé à l'hôpital.

— Gardez-les, m'a-t-il dit, on ne sait jamais ce qui peut arriver. Mieux vaut quatre oreilles qu'aucune.

J'entends parfaitement bien, je n'ai pas besoin d'oreilles supplémentaires. Pas question de garder pour moi ce qui pourrait être utile aux autres. À peine sorti de son cabinet, je suis donc parti sur le boulevard.

À la recherche d'un sourd.

Je me suis caché derrière un arbre, et j'ai fait de drôles de bruits. J'ai imité le chien, la sirène des pompiers, la machine à laver… Malheureusement, tous les passants se sont retournés. Il faut croire que dans mon quartier tout le monde entend bien.

Je me suis donc mis à marcher au hasard des rues.

Bientôt, j'ai croisé une vieille dame qui traversait sans prêter attention aux klaxons des voitures. Je me suis approché d'elle discrètement.

À peine étais-je à ses côtés, qu'il m'a semblé distinguer, dans le creux de son oreille, un tout petit appareil. J'ai tout de suite pensé qu'elle serait sûrement très heureuse de remplacer cet ustensile encombrant par une oreille en parfait état. J'ai penché la tête par-dessus son épaule pour m'assurer de sa surdité, hélàs, au moment même où j'allais parler, mes lunettes sont tombées dans son corsage. J'ai tenté tant bien que mal de les récupérer, mais la dame s'est mise à crier.

– Je voulais juste vous donner une oreille, lui ai-je dit.

Elle m'a mis un coup de parapluie puis a disparu dans le métro.

Emportant mes lunettes.

Ne jamais se décourager, telle est ma devise.

J'ai donc continué mon chemin.

Je suis arrivé devant le musée des beaux-arts. Pas de raison qu'il y ait moins de sourds ici qu'ailleurs… «Entrons donc faire un tour, me suis-je dit, et puis cela me réchauffera» (j'étais tout mouillé).

Les Égyptiens, toujours de profil… Picasso, les oreilles à la place du nez… Braque, les oreilles carrées… Tout cela me paraissait très bizarre. C'est alors que je suis tombé sur Van Gogh. Avec son grand pansement tout autour de la tête, il n'avait pas l'air très heureux. *Autoportrait à l'oreille coupée*. «Voilà celui que je cherche! ai-je pensé. Lui au moins il acceptera, peut-être pas les deux, mais au moins une oreille, c'est sûr!»

Sur-le-champ, je suis allé voir le directeur du musée.

— Je voudrais rencontrer monsieur Van Gogh, c'est pour lui faire un cadeau. Savez-vous où il habite?

Le directeur du musée m'a dit qu'il n'avait pas de temps à perdre avec des petits plaisantins de mon espèce et m'a vivement mis dehors.

– Je voulais juste lui donner une oreille ! ai-je crié en glissant sur les marches du musée.

Un peu dépité, le pantalon plein de boue, j'ai tout de même continué à marcher.

Ne jamais perdre espoir, telle est ma devise.

Rapidement je me suis retrouvé du côté du marché aux poissons. Il y avait dans la vitrine d'un magasin un énorme poisson gris, enfermé dans un aquarium rempli de crabes. Ils lui pinçaient les nageoires dès qu'il touchait le fond.

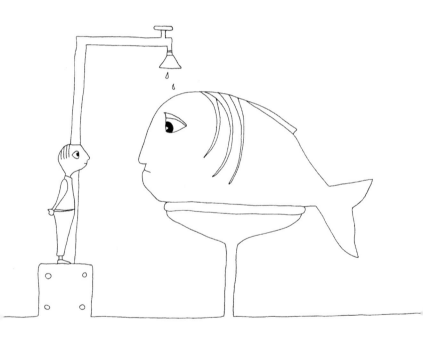

– Le pauvre, il ne peut même pas se reposer, ai-je dit au poissonnier.

– De toute façon, on va le manger, alors fatigué ou pas, il aura le même goût, m'a-t-il répondu.

J'ai tout de suite été saisi d'une grande pitié pour cette malheureuse créature. Je me suis penché contre la vitre et j'ai prononcé quelques mots réconfortants pour lui donner du courage.

– Pas la peine de vous fatiguer, il est sourd, m'a dit le poissonnier. Comme tous les poissons d'ailleurs.

Mais bien sûr ! Comment n'y avais-je pas pensé plus tôt ?! Je venais enfin de trouver mon acquéreur !

– Je vous l'achète ! ai-je dit au poissonnier.

– Je lui coupe la tête ? m'a-t-il répondu.

– Surtout pas, c'est pour l'apprivoiser !

J'ai glissé mon poisson à l'intérieur d'un grand sac plastique et aussitôt, j'ai repris le chemin de ma maison. Sans plus attendre, je l'ai installé dans l'évier et lui ai donné mes oreilles.

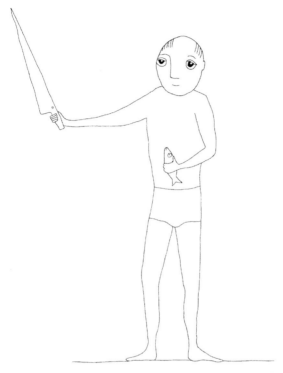

Il avait deux petits trous juste au-dessus des branchies, je les ai installées là. Elles lui allaient plutôt bien.

J'ai tout de suite eu très envie de lui parler.

« Mais prudence, ai-je pensé, il n'a encore jamais rien entendu, il ne faut pas lui raconter n'importe quoi.» Alors, à voix basse, j'ai murmuré quelques mots d'amour. Il m'a tout de suite compris ! J'ai vu son petit œil gris se tourner vers moi. Une larme a coulé sur ses écailles. Ensuite, je me suis assis sur un tabouret et, tranquillement, je lui ai raconté ma vie.

Toute ma vie. Depuis le début.

Il m'a sagement écouté.

Puis, comme il semblait un peu fatigué, je l'ai laissé se reposer et suis parti dans ma chambre.

Cependant, avant de le quitter, je lui ai dit :

— Demain c'est ton tour, n'est-ce pas ?

Je crois qu'il était d'accord car, avant que je ferme la porte, il a fait un petit mouvement avec la queue. J'ai reçu une goutte d'eau sur la main. En langage de poisson, ça veut dire merci.

Vivement demain !

*Histoire de l'homme
qui avait avalé une tempête*

Nous lui avions pourtant bien dit de se méfier du vent.

Mais il n'en faisait qu'à sa tête.

Il venait de la ville et ne voulait rien entendre.

Tous les soirs, il se rendait sur la jetée, ouvrait grand la bouche et respirait le plus fort possible.

De l'autre côté du port, nous l'observions. Il avait l'air complètement fou. Il écartait les bras devant lui comme un chanteur d'opéra et faisait de grands gestes dans le vide.

– C'est bon pour la santé, disait-il en revenant sur le quai. Vous devriez en faire autant.

Un soir, sans même s'en rendre compte, il a fini par avaler une tempête.

Ce soir-là, au village, tout le monde s'était depuis longtemps barricadé chez soi. On avait rentré les poules, bien arrimé les bateaux et fait du feu dans les cheminées. Personne ne se serait aventuré dehors. Lui seul était parti se promener sur la digue. Il avait mis son grand imper jaune et son petit chapeau de plastique. Il prenait, comme il disait, « une bonne bouffée d'oxygène avant de retourner en ville ».

Le lendemain matin, à l'hôtel, il n'était pas descendu prendre son chocolat et lire le journal comme il le faisait chaque jour. On l'avait attendu toute la matinée, puis, vers midi, la jeune fille qui faisait le ménage dans les chambres avait frappé à sa porte. Comme il ne répondait pas, elle était entrée.

Tout était par terre. Dans la nuit, les rideaux avaient été arrachés, la table de chevet renversée et la lampe du plafond gisait au sol, brisée en

deux. Lui était allongé au pied de son lit. Il respirait à peine. À l'instant même, la jeune fille était descendue chercher du secours. Tous les clients de l'hôtel étaient remontés avec elle. Une dame d'un certain âge s'était penchée sur le monsieur et l'avait ranimé avec une bouteille d'alcool de menthe qu'elle gardait toujours dans son sac à main.

– Comment vous sentez-vous, cher ami ? lui avait-elle glissé à l'oreille.

Il avait desserré les lèvres pour lui répondre mais le souffle qui était sorti de sa bouche était si fort qu'il n'avait pu prononcer une parole. C'était comme une tornade s'échappant de ses poumons. La vieille dame était tombée à la renverse, brisant d'un coup son flacon.

– Eh bien voilà, c'était prévisible ! s'était alors exclamé le patron de l'hôtel. Il a avalé la tempête. Pendant la nuit, il a dû appeler au secours et le vent qui est sorti de sa bouche a tout cassé dans la chambre. Ne perdons pas de temps, allons vite chercher le médecin.

Le médecin avait aussitôt diagnostiqué le mal du pays.

– Ce n'est pas contagieux, avait-il dit, mais toute sa vie, il sera traversé par les courants d'air. Pour l'instant, tenez-le au chaud. Le plus longtemps possible. Surtout qu'il ne se fatigue pas, dans son état, un simple soupir pourrait à lui seul faire écrouler tout le bâtiment.

On avait remis sa chambre en état et le monsieur était resté un mois en convalescence.

– Vous avez une tempête dans les poumons, lui avait dit le médecin lors de sa dernière visite. Nous l'avons calmée mais elle peut reprendre souffle à tous moments. Maintenant, il faudra ne pas trop vous fatiguer, et surtout ne jamais attraper froid. Bon courage. Adieu.

Le monsieur avait fait sa valise, embrassé le personnel et tous les clients de l'hôtel, puis il était rentré chez lui. Il avait fermé ses volets, ouvert une boîte de conserve et s'était couché. Le lundi matin, il avait repris sa place à son bureau, comme si de rien n'était.

Mais il n'avait pu passer une heure entière derrière sa machine à écrire.

À chaque fois qu'il remuait les lèvres toutes les touches, les crayons, les feuilles s'étaient envolées devant lui. Il s'était efforcé de respirer en tenant un mouchoir contre ses lèvres, mais cela n'avait servi absolument à rien. Tout chavirait sous ses yeux. Pour ne pas déranger plus longtemps ses collègues, il était sorti se promener sur le trottoir. Dès qu'il avait aperçu le ciel bleu, quelque chose en lui s'était mis à vibrer. Quelque chose d'incroyablement fort. Comme un appel. « L'appel du large », avait-il pensé. Plus il marchait, plus l'appel s'était fait pressant. Soudain, il s'était arrêté en plein milieu d'un passage piéton, comme foudroyé par une idée nouvelle : « Je ne pourrai plus jamais vivre enfermé. La tempête en moi ne le supporterait pas. »

Alors, lui qui n'avait jamais pris de grandes décisions dans sa vie, était entré dans une agence immobilière et, sur-le-champ, il avait vendu sa maison. Ensuite il avait vidé son compte en banque ; dans son armoire, il avait pris son grand imper jaune, son petit chapeau de plastique qu'il aimait tant, puis il était monté dans le premier train pour la mer.

Par la fenêtre, il avait regardé défiler les paysages. Les grandes tours et les autoroutes s'éloignaient de lui comme des fantômes. «Je ne les verrai plus, se disait-il, et c'est très bien comme ça. Je veux voir les vagues, tant pis si je suis malade.» En effet, il sentait bien qu'il était prêt à tousser et que, d'un souffle, il aurait pu faire dérailler le wagon, mais cela lui était complètement égal. Tout seul, confortablement installé au fond de sa banquette, il souriait. Il avait le sentiment que, sans doute pour la première fois de sa vie, il était enfin libre. Il allait faire ce qu'il avait toujours rêvé de faire : vivre face à l'écume et ne plus rien respirer d'autre que l'air de la mer.

Le plancton de compagnie

Je ne suis pas une baleine.

Et pourtant, j'adore le plancton.

Mais pas n'importe lequel, seulement le plancton apprivoisé. Celui qui habite mon nombril.

Il s'est installé chez moi l'été dernier.

C'était le dernier jour des vacances, je voulais en profiter le plus longtemps possible. J'avais nagé tout l'après-midi, et, avant de rentrer, pour me reposer, je m'étais allongé dans l'écume, sur le bord de la plage. Je m'imaginais que j'étais un

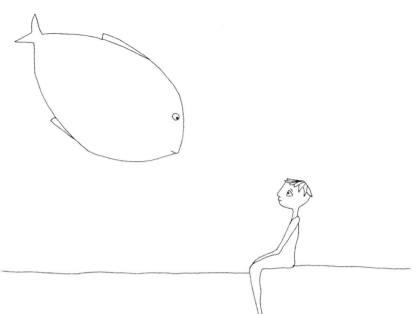

poisson, une algue ou un petit morceau de bois flottant.

Je suis resté très tard dans l'eau, et, quand je suis sorti, tout le monde avait regagné la maison. Le goûter et les serviettes avaient disparu. La nuit commençait à tomber. J'avais un peu froid, et pour me réchauffer, en chemin, je me suis mis à courir. Quand je suis arrivé chez moi, c'était déjà l'heure de dîner. Je ne me suis pas douché et suis

passé directement à table. À peine le repas terminé, je suis allé me coucher. Sans même passer par la salle de bain. Avec tout le sel sur ma peau.

Je pensais que mon corps était sec depuis longtemps mais au moment de me mettre en pyjama, je me suis aperçu qu'il restait encore une toute petite goutte dans le creux de mon nombril. « L'ultime souvenir de la mer, me suis-je dit, si seulement je pouvais la garder jusqu'à l'été prochain, de temps en temps je sentirais son odeur et cela me rappellerait les vacances. »

Je me suis penché pour voir la goutte de plus près, et là j'ai découvert que quelque chose bougeait à l'intérieur. Il y avait dedans une sorte de crevette, avec des toutes petites pattes et de grandes antennes. L'eau faisait comme une loupe et, bien qu'il fût infiniment petit, j'arrivais à distinguer ses yeux au milieu de son visage. Il était beaucoup trop tard pour retourner à la plage le remettre à l'eau, je me suis donc endormi sur le dos et l'ai gardé en moi, comme un kangourou son bébé dans sa poche.

Le lendemain, nous nous sommes réveillés très tôt. Tout le monde était un peu stressé car il fallait charger la voiture, fermer la maison et reprendre la route. Les vacances étaient vraiment finies. J'ai demandé à aller voir la mer une dernière fois mais personne n'a accepté.

Je suis donc rentré à Paris avec le petit insecte dans mon nombril.

En route, pour le rafraîchir, je versais de temps en temps une goutte d'eau sur mon ventre. Elle glissait sur ma peau, me chatouillait légèrement et s'arrêtait juste avant de regagner mon nombril. Il faisait chaud, je transpirais beaucoup aussi. Cela lui faisait un peu de sel.

Arrivé à la maison, j'ai fabriqué un aquarium avec un bouchon de bouteille, et je l'ai installé tout en haut de mon armoire.

Puis l'école a repris.

À la bibliothèque, j'ai fait des recherches et me suis aperçu que c'était en fait du plancton. La nourriture des baleines.

Je l'ai apprivoisé.

Maintenant, c'est mon animal de compagnie. Le soir, quand tout le monde dort, je le sors. Je m'allonge par terre et vide le bouchon sur mon ventre. Je fais des vagues. Il se croit sur une dune marine.

C'est dommage qu'il soit si seul. Les journées doivent être longues pour lui. Je lui dis d'être patient. L'hiver n'est drôle pour personne, sauf peut-être pour les ours polaires. Il faudra encore attendre de longs mois avant de retourner à la mer. L'été prochain, je lui pêcherai un copain. Ou une copine, s'il préfère. J'ai bien cherché, mais n'ai trouvé aucun renseignement sur le sexe des planctons. Aussi je ne sais toujours pas si c'est un garçon ou une fille.

C'est pourquoi je l'appelle Plancton.

Juste Plancton.

C'est sans doute un drôle de prénom pour un animal de compagnie, mais moi je le trouve joli.

Et puis, je ne vais quand même pas l'appeler Dromadaire, Chèvre ou Canari.

Ça n'aurait aucun sens, n'est-ce pas ?

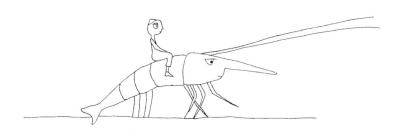

Les rides vagabondes

C'est la fin du repas. Tout le monde est parti se promener. Moi je dois rester là, dans le jardin, pour faire mes devoirs de vacances. Seul mon grand-père est à mes côtés. Il n'a pas envie de marcher et il va m'aider à réviser ma leçon. Il s'assoit dans un fauteuil au pied de l'arbre. Du coin de l'œil, il me regarde. Il parle un peu, me donne des conseils, mais très rapidement, il s'endort.

Doucement je m'approche de lui. Je me penche sur son visage. Je regarde toutes les rides sur sa peau. Son front est rempli de petits traits,

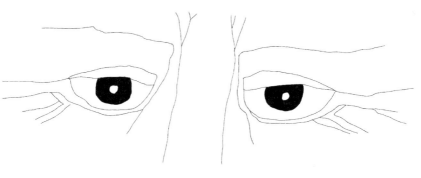

comme les lignes d'un cahier, une partition de musique. Je touche le bout de son nez et soudain une ride se décroche. Elle flotte au-dessus de sa joue. Je la serre entre mes doigts. Elle est fragile, plus fine qu'une brindille. De nouveau, je touche son visage. J'effleure sa bouche, ses oreilles, la courbe de son front. Une à une, les autres rides s'envolent. Je les saisis toutes, le plus délicatement possible.

Sur la pointe des pieds, je vais tout au fond du jardin, derrière le puits. Je m'assois contre le chêne et sur la grande pierre devant moi, j'étale toutes les rides.

Aussitôt, les petits traits se mettent à bouger. Des messages apparaissent sous mes yeux. Les rides sont vivantes. On dirait qu'elles s'organisent. On dirait qu'elles veulent me raconter une histoire.

L'histoire de mon grand-père.

Je retiens ma respiration et je les regarde.

Une ride profonde et noire barre toutes les autres. C'est la guerre. Une tranchée. Je me penche et je vois les soldats, rangés deux par deux. Ils ont froid. Ils préparent de la soupe dans leur casque. Ils parlent mais je n'entends pas ce qu'ils disent. À côté d'eux se trouve mon grand-père. Il est jeune et il a vraiment peur. Il croit qu'il va mourir. Il ne connaît pas encore ma grand-mère.

Cette ride m'effraie un peu.

Je tourne légèrement la tête et j'aperçois plein d'autres traits. Parallèles, identiques. Voici l'usine. Chaque petit trait, chaque sillon, est un jour, un mois, une année, passés dans l'usine. Il y en a beaucoup, bien rangés les uns à côté des autres. Je ne pourrais même pas les compter.

Certains sont un peu différents.

Celui-là, c'est une fête, un bal, le soir, après le travail. Les hommes portent de grandes salopettes et les femmes des petits foulards dans les cheveux. Ils dansent. Ça doit être une valse ou un air de musette, je ne sais pas.

Au loin, j'aperçois mon grand-père avec une dame, très jolie. Peut-être est-ce ma grand-mère, mais je n'en suis pas sûr car, dans cette ride, elle a de longs cheveux blonds. Ils se tiennent par la

main. Ils traversent un champ et montent dans un train. Tout est calme, apaisé. C'est les vacances.

Une ride de soleil.

Des yeux, je suis son parcours.

Elle serpente sur la pierre, se faufile à travers les brindilles, fluide, vivante, comme une rivière de montagne, une pelote de laine courant sur un parquet. À son bout se trouvent deux minuscules courbes. Deux nouvelles rides. Beaucoup plus petites que les autres. On dirait deux berceaux.

À l'intérieur dorment des enfants. Celui que je vois d'abord, c'est mon papa. Ses poings sont serrés, ses sourcils froncés. Il n'est pas en colère, il dort bien, il a juste l'air très concentré. À ses côtés, je reconnais son petit frère. Lui, il ne dort pas. Ses yeux sont grands ouverts. Il est très beau. Il porte une médaille avec un visage de femme gravé dessus.

Ces rides sont belles.

Quand elles sont bien à leur place, sur le visage de mon grand-père, elles se situent, je crois, à la lisière des yeux, peut-être même au coin de la bouche.

Ce sont les rides du sourire.

L'une d'elles semble un peu différente des autres. Elle est toute encombrée de tables, de chaises, d'objets poussiéreux que je n'ai jamais vus. Du regard je la suis, je m'y perds un peu, et j'arrive au seuil d'une grande maison.

À l'intérieur se trouvent d'autres maisons. Plus petites. Remplies de pièces vides. Sur les murs, il y a des vieux papiers peints avec des traces de cadres qui ont disparu.

Voici toutes les maisons dans lesquelles mon grand-père a vécu.

Tous les déménagements de sa vie.

Doucement, cette ride se transforme en un long couloir.

De nouveau, je reconnais mon grand-père. Cette fois il doit avoir environ quinze ans. Il porte un pantalon gris, une raie sur le côté et une chemise bleue, très bien repassée. C'est la nuit, au pensionnat. Il marche dans le noir. Avec sa main, il tâte les murs pour ne pas se cogner. Soudain, sous ses doigts, il découvre une porte. Elle n'est pas fermée à clef. Sans faire de bruit, il la pousse. Il met un pied dans le vide, et d'un coup, il dégringole dans l'escalier. Tout le pensionnat se réveille. Tout le monde court vers lui. Lui, il pleure, il s'est blessé au front. On attend longtemps avant de le soigner. D'abord, on dispute.

Cette histoire, bien des fois, il me l'a racontée. Toute sa vie il gardera une petite marque, en plein milieu du visage, juste au-dessus de l'œil droit.

Je voudrais m'attarder dans le pensionnat, observer les enfants, connaître leur âge, leur prénom, mais je n'ai pas vraiment le temps : mon regard, soudain, est attiré par une étrange lueur à l'autre bout de la pierre.

Au creux d'une ride brûle une flamme.

Une toute petite flamme.

C'est une bougie. Un gâteau d'anniversaire. Le mien ! J'ai un an. Je me vois, sur les genoux de ma maman. Il y a beaucoup de monde, et mon chien aussi. Les gens s'amusent, ils boivent du champagne. Ça se passe dans le premier appartement où nous avons habité.

J'aime cette ride. J'y ai ma place, moi aussi.

Elle est apparue tard sur le visage de mon grand-père.

Sa flamme est fragile.

Je me penche vers elle et découvre à ses côtés une famille de rides que je n'avais pas encore remarquée. Elles sont très excitées. Rien ne semble pouvoir les calmer.

Voici l'inquiétude, l'angoisse, les sales petits problèmes du quotidien. Une trace de pare-chocs dans un mur. Un accident de voiture. Canaux, ruisseaux, tracés par la peur et les larmes. Je passe la main dessus pour les écarter, mais elles me font mal. Elles se crispent, se nouent, se mêlent les unes aux autres comme les mailles d'un filet.

Ce sont de mauvaises rides, de mauvais souvenirs.

Je suis surpris de les découvrir ainsi.

Sur le visage de mon grand-père, on ne les voit presque pas. C'est comme s'il ne voulait pas les montrer, comme s'il les cachait.

Je quitte un instant la pierre des yeux, et, au loin, je le regarde dormir. Quand on le voit là-bas, allongé au pied de l'arbre, si serein, on n'imagine pas qu'il puisse avoir de mauvais souvenirs. Pour moi, il a toujours été heureux. Ses cheveux ont toujours été blancs, son visage toujours souriant et rempli de petits traits.

Mon grand-père a toujours été un grand-père. Voilà ce que je crois. Voilà ce que j'ai toujours cru.

Et soudain, pour la première fois, je réalise que les choses n'ont pas toujours été ainsi. Tous ces traits sur son visage sont apparus au fil des ans. Avec le temps. Je réalise qu'un jour, il y a très longtemps, mon grand-père a été un enfant. Comme moi.

Et moi aussi, un jour, dans très longtemps, je serai sûrement un grand-père. Comme lui.

Tout là-bas dans la campagne, je distingue des rires et des voix. Les autres reviennent de leur promenade. Je devais faire mes devoirs et n'ai encore rien fait ! Vite, j'attrape les rides et je retourne vers mon grand-père.

Une à une, elles reprennent leur place sur son visage.

J'entends grincer la porte au fond du jardin. On nous appelle. C'est l'heure du goûter.

– Oh… je me suis endormi, dit alors mon grand-père en s'étirant. Viens, on va prendre un chocolat.

Tout en marchant, je le regarde.

Je crois qu'autrefois ses rides me faisaient un peu peur, mais maintenant je les aime bien. Ce sont comme des petites formules magiques pour comprendre sa vie.

Doucement je glisse ma main dans la sienne.

Là, je sens d'autres rides, plus petites, plus fines.

La prochaine fois, ce sont elles que j'attraperai.

Ainsi, après avoir découvert l'histoire de son visage, je connaîtrai le secret de ses mains.

Le jeu du mélange de doigts

Le jeu du mélange de doigts, c'est très simple.

Dans la cour de récréation, choisissez un groupe d'amis. Mettez toutes vos mains ensemble. Mélangez-les bien, qu'on ne puisse plus savoir à qui elles appartiennent. Fermez les yeux et secouez très fort.

Si vous avez bien respecté les règles, quand de nouveau vous ouvrez les yeux, normalement, tous les doigts sont mélangés.

Le jeu peut commencer.

Sortez un sablier (ou un chronomètre si vous n'avez pas de sablier). Définissez un temps réglementaire pendant lequel chacun doit retrouver la totalité de ses doigts. Quand vous en avez repéré un sur une main qui ne vous appartient pas, vous l'échangez contre un des doigts qui se trouve sur la vôtre et qui n'est pas à vous. Et ainsi de suite.

Facile de repérer les tricheurs : celui qui, à la fin du jeu, a plus de dix doigts n'a pas respecté les règles.

Si le groupe est d'un bon niveau, on peut aller plus loin.

On peut pratiquer par exemple le mélange de bras. Attention, on a droit qu'à un échange par enfant. Il faut toujours garder un bras de rechange pour effectuer les transactions. On peut pratiquer aussi le mélange de jambes. Ou plus simplement le mélange de pieds.

Mais le plus amusant, c'est le mélange de têtes.

Prudence, ce mélange peut être dangereux. Il faut bien connaître les règles. Un jour, en plein milieu d'une partie, la cloche a sonné alors que tous les enfants n'avaient pas récupéré leur propre tête. Plusieurs élèves ont dû rentrer chez eux avec une tête qui n'était pas la leur.

Surtout, ne jamais jouer au mélange de tout. Les conséquences d'une partie peuvent être terribles. On a vu parfois des enfants repartir avec un bras à la place de la tête, une jambe dans le cou, des doigts dans les yeux…

Le plus raisonnable, quand on est débutant, est de se contenter du mélange de doigts.

Et puis on peut marquer des points sans difficultés : une phalange compte pour un demi-doigt.

Comme il y en a trois par doigt : facile de gagner.

À vous de jouer !

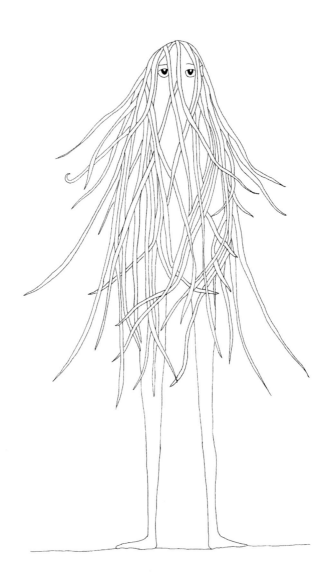

La révolte des ongles

À l'époque préhistorique, les hommes n'étaient pas propres du tout.

Ils dormaient par terre, ne se lavaient jamais les dents, ne se coiffaient pas et s'habillaient toujours avec des vieilles peaux d'animaux qui sentaient très mauvais.

Leur corps s'accommodait comme il pouvait à cet étrange mode de vie.

Il faisait avec. Il n'avait pas le choix.

Pour certaines parties, cependant, c'était plus difficile que pour d'autres.

Les ongles, en particulier, se sentaient souvent très mal à l'aise.

Il faut dire que les hommes les utilisaient beaucoup. Dès qu'il fallait dessiner sur les parois des grottes, attraper d'horribles insectes, trouver des champignons vénéneux, gratter les poux… c'était à eux qu'ils faisaient appel. Pourtant ils ne les remerciaient jamais. Ils ne les nettoyaient pas non plus. Ils les laissaient toujours couverts de crasse et de boue. Tout cassés, tout effrités.

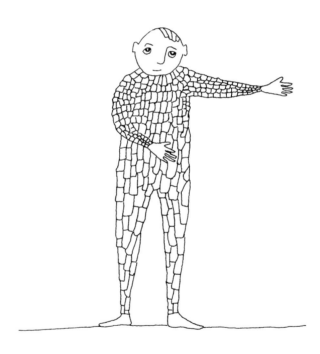

Les ongles n'en pouvaient plus.

Une nuit, ils ont organisé une révolte.

Pour embêter les hommes, ils ont décidé de pousser le plus possible.

D'envahir tout leur corps.

Comme des écailles.

Le matin, quand les hommes sont sortis de leur caverne, ils ne se sont pas reconnus. Ils ressemblaient à d'étranges poissons sur pattes. Ils se sont grattés avec des silex taillés, se sont roulés dans le sable, frottés contre les rochers, mais ils n'ont pas réussi à faire tomber leurs ongles.

Cette situation épouvantable a duré plusieurs centaines d'années.

Ce fut la pire période de toute l'histoire de l'humanité.

Les hommes se trouvaient tellement laids, ils avaient tellement honte, qu'ils n'ont plus osé s'approcher les uns des autres. Ils sont partis vivre seuls dans des grottes minuscules. Parfois ils se faisaient un petit signe de la main, esquissaient un vague sourire, mais pendant tout ce temps, ils ne se sont pratiquement plus touchés.

Aussi, au fil des siècles, ils sont donc devenus de moins en moins nombreux.

Quand ils n'ont plus été qu'une vingtaine, ils se sont rassemblés au sommet d'une montagne et là, ils ont organisé une grande réunion. S'ils ne voulaient pas disparaître définitivement, ils devaient de toute urgence trouver une solution. Puisqu'on n'avait pas réussi à remettre les ongles à leur place par la force, il fallait tenter de négocier avec eux.

Les discussions avaient duré toute la nuit.

Certains hommes voulaient que les ongles demeurent uniquement sous les pieds, comme des sandales. Ils les auraient alors bien cirés et frottés chaque matin avec des poils de mammouth. D'autres souhaitaient en garder sur le torse pour se protéger des flèches. D'autres encore voulaient en avoir sur la tête, en guise de casquettes, d'autres, sur les yeux, les bras, le nez, le cou…

Bref, personne n'avait réussi à se mettre d'accord.

Or, il y avait sur cette montagne un petit garçon qui mettait toujours les doigts dans son nez. Lui, il aimait beaucoup ses ongles. Il les utilisait tout le temps. Surtout ceux qui étaient au bout de ses doigts. Il n'avait qu'une seule crainte, c'était qu'on les supprime définitivement. Un matin, alors que tout le monde commençait à perdre espoir, discrètement il avait pris la parole :

— On pourrait peut-être les peindre ? On leur demande gentiment de reprendre leur ancienne place et après, pour les remercier, on les peint de toutes les couleurs.

Dans la grotte, tout le monde s'était mis à rire. Quel drôle de petit garçon ! Quelle drôle d'idée ! Et puis, soudain, un vieux monsieur, qui passait à l'époque pour un grand sage, avait murmuré :

— Pourquoi pas ? Ce n'est pas une si mauvaise idée. Peindre nos ongles serait une façon délicate de les mettre en valeur, de leur montrer qu'on les aime quand même.

— Tout à fait d'accord mon cher, lui avait répondu un autre très vieux monsieur, mais connaissant les miens, ils n'accepteront jamais un tel manque de liberté : être de nouveau confinés tout au bout des mains ne leur plaira pas du tout, quand bien même ils seraient de toutes les couleurs.

— Eh bien laissons-les pousser ! s'était alors exclamé le petit garçon. On laisse bien pousser nos cheveux !

Personne n'avait pensé à cette solution.

Après tout, ce que voulaient les ongles, c'était être libres. S'ils poussaient à l'extérieur du corps, cela ne dérangeait plus personne.

Tous les hommes étaient tombés d'accord. Ils se peindraient les ongles. Même s'ils mesuraient un mètre de long.

Ils avaient mélangé des boutons d'or avec des fleurs d'oranger, ajouté un peu de résine de pin et cela avait donné un vernis préhistorique. Sans plus attendre, ils l'avaient appliqué au bout des doigts. L'opération avait duré plusieurs semaines. Petit à petit, les ongles des mains s'étaient effectivement mis à pousser. Comme les hommes prenaient grand soin à les peindre, ils n'avaient plus du tout envie de les salir. Tous les soirs, ils redessinaient les parties qui s'étaient effacées, et faisaient même des concours de couleur.

N'ayant plus aucune raison de continuer leur révolte, les ongles avaient donc bien volontiers quitté le reste du corps.

Pendant des siècles, on les avait laissés pousser à leur gré. Il n'était pas rare de croiser sur les chemins un homme de Neandertal avec de grands ongles roses ou arc-en-ciel.

Et puis, petit à petit, on leur avait donné moins de liberté.

Maintenant, les hommes ont définitivement arrêté de les peindre.

C'est d'ailleurs très imprudent.

S'ils ne veulent pas de nouveau se transformer, ils feraient mieux de se remettre rapidement au travail.

Car cette fois-ci, le petit garçon de la montagne ne sera pas là pour les aider.

Le chien qui avait une ombre d'enfant

J'ai perdu mon ombre.

Elle est partie avec un chien.

Je marchais sur le trottoir, je portais mon nouveau manteau, j'étais très fier de moi. Distraitement, j'ai penché la tête vers le sol, et là, je l'ai aperçue. Un vrai monstre ! Complètement ratatinée. Toute tordue, avec des jambes minuscules. Je me suis mis en colère. Je lui ai dit que j'étais bien mieux que ça, que si elle continuait à me renvoyer un reflet pareil, je ne l'emmènerai plus jamais en promenade. Mais cela n'a rien changé.

Au contraire. Au fur et à mesure que j'avançais, elle est devenue de plus en plus bizarre.

Au détour d'une rue, un chien est venu à notre rencontre. Aussitôt, mon ombre lui a sauté dessus. Elle l'a complètement recouvert. Le chien ne s'en est même pas rendu compte. Il a continué son chemin comme si de rien n'était. Mais mon ombre, elle, ne l'a pas quitté.

J'ai crié : « Reviens ! Au pied ! » Le chien a hésité un moment, puis il s'est sauvé en courant.

Emportant mon ombre avec lui.

Je me suis assis sur un banc, un peu dépité, me demandant comment j'allais m'y prendre pour retrouver cet animal, quand tout à coup j'ai senti une main sur mon épaule. Je me suis retourné et dans mon dos, à quelques centimètres de moi, j'ai découvert une toute petite fille. Elle était vêtue d'une robe à carreaux, d'un nœud dans les cheveux, et de minuscules chaussures blanches. Elle avait l'air très en colère.

– Ton chien, je le connais, m'a-t-elle dit. Il est très mal élevé. Il n'a jamais de laisse et, de plus, il crotte partout. Tu ferais mieux de l'attacher sinon je te préviens, tu vas avoir de gros ennuis avec les habitants du quartier.

J'ai essayé de lui expliquer que ce chien n'était pas à moi, qu'il venait justement de me voler mon ombre et qu'au lieu de me disputer, elle ferait mieux de m'aider à le retrouver, mais elle n'a rien voulu entendre.

– En plus tu es fou ! a-t-elle crié. Complètement fou !

C'était une petite fille vraiment désagréable.

Plus je lui faisais part de mon désarroi, plus

elle me criait dessus. Je me suis mis debout face
à elle, j'ai fait de grands mouvements avec les
bras devant le soleil pour lui montrer que je
n'avais plus d'ombre, mais elle ne me regardait
même pas. Elle ne cessait de répéter qu'on allait
m'envoyer chez les fous avec mon chien, que
tout le monde serait bien débarrassé, que les trot-
toirs seraient enfin propres… et plein d'autres
choses pas gentilles du tout.

Au bout d'un moment, elle m'a vraiment
cassé les oreilles.

C'est alors que j'ai eu une excellente idée.

Après tout, puisque mon ombre ne me ressemblait pas et qu'en plus elle partait avec le premier venu, pourquoi lui être fidèle ? N'importe laquelle pourrait la remplacer… Et pourquoi pas même, l'ombre de cette petite fille ?

L'air de rien, je me suis donc approché d'elle, j'ai fait comme si je regardais quelque chose dans ses cheveux, et d'un seul coup, je lui ai volé son ombre.

Puis je me suis mis à courir le plus vite possible, sans me retourner.

J'ai traversé la ville et me suis arrêté au milieu d'un parc, tout essoufflé. Je me suis caché dans un coin, et là, tranquillement, j'ai regardé ma nouvelle ombre.

Elle n'était pas mal du tout. J'ai fait quelques mouvements avec la tête, j'ai bien déplié mes jambes et mes bras, je l'ai ajustée à mon corps, puis je suis parti me promener avec elle.

Les gens n'ont rien remarqué.

Depuis, elle ne m'a pas quitté.

C'est très rigolo d'avoir une ombre de fille.

La plupart du temps elle ressemble à toutes les ombres de garçon, mais parfois, quand il fait beau, elle reprend son ancienne apparence. Je regarde le sol et je me vois avec de jolies robes, de grands chapeaux et des couronnes de fleurs dans les cheveux.

Je suis très heureux comme ça.

Quant au chien, je ne sais pas ce qu'il est devenu.

Si un jour, vous le croisez, n'ayez pas peur.

Ce n'est pas un chien méchant.

C'est juste un chien avec une ombre d'enfant.

Je fais ce que je veux avec mon corps

Mes pieds s'allongent.

Aux sports d'hiver, je n'ai pas besoin de skis.

Je vais tout en haut des pistes, je m'assieds sur un rocher, je tire sur mes pieds et à l'instant même, ils grandissent. Ensuite, je prends mes bâtons puis je me laisse glisser le long de la montagne. Quand j'arrive en bas, les gens m'admirent beaucoup. À leur tour, ils tirent sur leurs pieds, ils essayent de faire comme moi, mais aucun n'y arrive.

C'est normal.

Personne n'a le même pouvoir que moi.

Moi, je fais ce que je veux avec mon corps.

Je peux aussi agrandir mon cou.

À la mer, j'entre dans l'eau, je marche, je vais très loin vers le large, mais je ne bois jamais la tasse. Plus j'avance, plus mon cou grandit. Il peut faire un kilomètre de long.

En ville, c'est pareil.

Je vois tout ce qui se passe dans les avions. Je suis parfaitement capable aussi d'observer l'intérieur des appartements, même au dixième étage. Si un chat est coincé dans un arbre, ou une

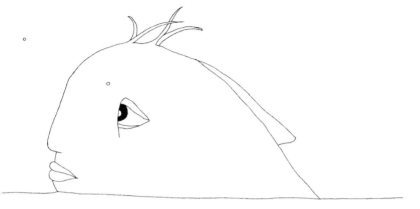

grand-mère dans un immeuble en feu, je tire sur ma main et sur-le-champ mon bras s'allonge.

Dans le haut-parleur, les pompiers disent :

– N'ayez pas peur, c'est le petit garçon qui va vous sauver.

Je les attrape délicatement et les dépose au sol. Après, on me remet des médailles, je passe aux informations.

Un jour, dans un pays lointain, il y a eu une terrible inondation.

À la télévision, on voyait des gens emportés

par des vagues immenses, écrasés par des camions qui tombaient du ciel. Sans attendre, j'ai agrandi mes jambes. Elles sont devenues plus longues que le plus haut des châteaux. Je suis allé là-bas, j'ai marché à des endroits où personne ne pouvait aller, et j'ai sauvé des centaines de gens.

Un autre jour, dans un autre pays, c'était la sécheresse. Il n'y avait plus un arbre, pas un endroit pour se protéger du soleil. J'ai laissé pousser mes cils et tout le monde est venu s'abriter à l'ombre de mes yeux.

C'est vraiment merveilleux d'être un héros.

Le royaume de pellicules

Au début, nous pensions que c'était des cartes postales.

Des petites cartes postales blanches qui tombaient du ciel.

Sans timbre, sans adresse et sans signature.

Nous étions très surpris.

Nous ne connaissions personne dans les nuages.

Qui pouvait bien nous écrire ainsi ?

Nous les mettions de côté et nous les utilisions comme des feuilles de brouillon.

Nous faisions des petits cahiers avec.

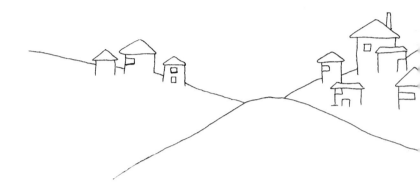

Et puis, au fil des jours, il en est tombé de plus en plus.

Les astronomes nous ont dit que c'était peut-être de la neige, mais elle ne fondait pas. Ils nous ont dit aussi que c'était peut-être des météorites, mais elles n'étaient jamais noires.

Elles étaient toujours blanches, et légères comme des plumes.

Enfin, une nuit, il en est tombé plus d'un mètre.

Au réveil, nous n'avons pas reconnu notre village.

Toutes nos maisons avaient été ensevelies.

Alors, ce jour-là, avec mon meilleur ami, nous avons pris une grande décision.

Nous avons construit un avion, nous l'avons chargé de nourriture et de vêtements chauds, et nous sommes partis dans le ciel, voir là-haut, ce qui se passait.

Notre voyage a duré trois jours. Plus nous prenions de la hauteur, plus l'air était chargé de particules blanches. Avec une balayette, nous les retirions quand elles s'entassaient sur nos vitres. Enfin, vers dix-huit heures, nous sommes arrivés sur une planète minuscule, entièrement remplie de ces cartes mystérieuses. Il y en avait tellement qu'on avait du mal à respirer.

En sortant de l'avion, nous avons planté nos bâtons dans le sol et nous sommes partis en exploration. Il n'y avait aucun bruit. Personne à l'horizon.

Nous étions plutôt contents d'avoir atterri là.

Soudain, le ciel s'est obscurci. J'ai levé les yeux et j'ai découvert une énorme main qui flottait dans les airs. Elle était grande ouverte. Toute blanche elle aussi. Quelques instants, elle est restée suspendue dans le vide, et d'un coup, elle s'est écrasée sur notre avion.

À peine avions-nous réalisé ce qui venait de nous arriver, que la main nous a attrapés. Elle nous a déposés dans une autre main. Tout aussi grande. Un visage d'homme est alors apparu dans le ciel. Un visage très beau, avec une longue barbe noire et de grands yeux verts. Il n'avait pas l'air méchant. Plutôt surpris.

– Qu'est-ce que vous m'avez mis dans les cheveux ? nous a-t-il demandé.

C'était un de ces géants qui vivent dans le ciel. Nous nous étions posés sur sa tête.

– Désolés, nous ne voulions pas vous faire de mal, lui ai-je répondu. Nous cherchons la personne qui nous envoie des cartes postales.

Elle ne signe jamais ses courriers. Peut-être la connaissez-vous ?

Tout en parlant, j'ai pris un tas de feuilles dans le creux de sa main, et du bout des doigts, je les lui ai montrées. Il s'est tout de suite mis à rire.

— Ça ? Mais ce ne sont pas des cartes postales, ce sont des pellicules ! Je suis si grand que j'ai dépassé les nuages, et comme ici il ne pleut jamais, je ne peux pas me laver les cheveux. Du coup, j'ai des pellicules. Alors toute la journée, je me gratte. Forcément, ça tombe chez vous, vous habitez à mes pieds.

— Ça doit être très désagréable, m'a glissé mon ami à l'oreille, nous ne pouvons pas le laisser comme ça.

— Cher monsieur, nous sommes vraiment confus, ai-je repris. C'est un terrible malentendu. Chez nous, il y a du shampoing, venez donc vous laver les cheveux à la maison.

— Volontiers ! Vous venez du petit village blanc, n'est-ce pas ? Quand le ciel est dégagé, je vous aperçois. C'est très joli chez vous. Voulez-vous que je vous y amène ? Accrochez-vous à mes doigts et descendons ensemble !

Et ce jour-là, nous avons traversé le ciel dans la main du géant.

Pour ne pas écraser nos maisons, il s'est assis dans un grand terrain vague en périphérie du village.

Nous avons rejoint nos familles à pied.

Nous leur avons tout expliqué, puis, les bras chargés de shampoing, de savons et de peignes, tous ensemble, nous avons retrouvé le géant.

— Approchez-vous de la rivière, cher monsieur, lui a dit mon ami.

Nous avons mis nos échelles bout à bout et nous sommes montés sur sa tête. Nous y avons versé des litres et des litres d'eau claire, nous avons vidé vingt bouteilles de shampoing, cassé tous nos peignes, et, avant le coucher du soleil, le géant n'avait plus une seule pellicule sur le crâne. Ses cheveux volaient dans le vent.

— Merci ! Merci ! Comme c'est agréable d'avoir les cheveux propres !

Puis il s'est mis à genoux, il s'est tourné vers le village, et, tout doucement, il a commencé à souffler. Les unes après les autres, les pellicules se sont envolées. Elles ont quitté nos maisons, nos arbres, nos fontaines, elles ont traversé le ciel et se sont accumulées au pied d'une grande falaise, à quelques kilomètres de chez nous.

Elles y sont toujours.

Avec le temps, le vent et la pluie les ont

sculptées. Le soir après l'école, les enfants s'y rassemblent. Ils y creusent des cabanes. On se croirait dans un igloo. Quand ils jouent là-bas, les parents sont tranquilles, ils savent qu'ils ne se feront pas mal. On n'a jamais vu un enfant se blesser en tombant dans les pellicules. C'est leur royaume comme ils disent, leur royaume de pellicules.

Le géant, quant à lui, est retourné au ciel.

À chaque fois qu'il réapparaît, nous lui lavons les cheveux.

Mais maintenant nous utilisons un shampoing très doux, parfaitement naturel et sans détergent, car la première fois nous avons eu beaucoup de problèmes avec les grenouilles de la rivière. Elles étaient toutes tombées malades.

C'est difficile de faire plaisir à tout le monde…

Histoire de la petite fille
aux mains sales

C'est ma grand-mère qui m'a raconté l'histoire de la petite fille aux mains sales.

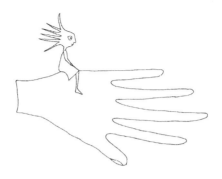

Elles étaient dans la même école, il y a très longtemps. C'était une école très sévère. Il ne fallait jamais parler, jamais rire, jamais se balancer sur sa chaise. Il fallait juste se tenir bien droit, et rester toujours propre, quoiqu'il arrive.

Dans cette école, la propreté, c'était une obsession. Tous les enfants devaient être impeccables. Avant de retourner en classe, après chaque récréation, ils étaient obligés de se frotter les mains jusqu'aux coudes s'ils ne voulaient pas être renvoyés.

Or, il y avait dans la classe de ma grand-mère une petite fille qui avait toujours les mains sales. C'était une rebelle. Elle le faisait exprès pour mettre la directrice en colère.

— L'eau est trop froide ! lui lançait-elle au visage.

Chaque matin, elle venait en cours les doigts tachés de terre et d'encre. Ses résultats étaient très mauvais. La plupart des professeurs refusaient tout simplement de corriger ses devoirs. « De vrais torchons », disaient-ils en les jetant à la poubelle. Elle était souvent convoquée en conseil de discipline. Mais elle s'en fichait complètement. Et même, cela la faisait rire.

Un jour, elle était arrivée très en retard en classe de français, les mains remplies de vase. Sans doute revenait-elle de la rivière où elle allait régulièrement attraper des bestioles dégoûtantes qu'elle cachait ensuite dans sa trousse. En poussant la porte, elle s'était retrouvée nez à nez avec la directrice qui venait distribuer les bulletins trimestriels. La petite fille avait été si surprise qu'elle avait perdu l'équilibre et lui était tombée dans les bras, salissant d'un coup toutes les copies.

— Cette fois-ci, c'en est trop ! avait crié la directrice.

Et sur-le-champ, elle l'avait renvoyée de l'école.

Comme elle ne pouvait tout de même pas la mettre à la rue, elle l'avait enfermée dans une petite pièce isolée tout au bout du bâtiment, en attendant la fin de la journée.

À peine arrivée dans cette pièce, la petite fille avait décidé de tout salir, pour se venger. Elle avait récupéré la boue qui traînait sur ses habits, sous ses chaussures, dans ses cheveux et elle l'avait étalée sur les murs. En une heure, la pièce était devenue terriblement sale. Elle s'en moquait puisque de toute façon, elle avait été

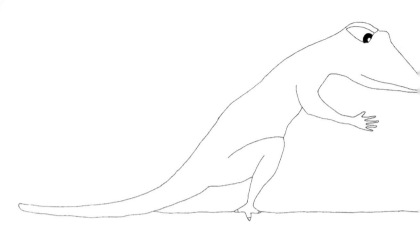

renvoyée. Elle attendait même avec une certaine impatience que la directrice vienne la chercher.

Juste pour voir la tête qu'elle ferait.

Tout l'après-midi, elle l'avait attendue. Toute la soirée aussi. La directrice n'était pas venue. Elle l'avait oubliée.

La petite fille avait mangé le goûter qu'elle gardait dans sa poche et s'était installée dans un coin de la pièce, espérant qu'on vienne la délivrer. Heureusement, la lampe du couloir était restée allumée, un filet de lumière passait sous la porte. Elle n'était pas complètement dans le noir.

Pour s'occuper, elle regardait les traces qu'elle avait laissées sur les murs.

Elle y voyait des arbres, des fleurs, des animaux, toutes sortes de créatures merveilleuses. Soudain, elle avait eu une impression étrange. Une trace qui se trouvait près du sol, tout contre le radiateur, venait de se déplacer vers le plafond. Un long moment, la petite fille était restée immobile. Elle avait retenu sa respiration et l'avait observée. La trace était vivante. Elle bougeait. On aurait dit un lézard, une espèce de salamandre, toute tordue, avec une tête énorme.

Alors, la petite fille, qui n'était pas vraiment peureuse, avait grimpé sur une chaise, et, du bout des doigts, elle avait essayé de l'attraper. À l'instant même la trace s'était sauvée. Dans sa fuite, elle avait réveillé les autres traces. Les unes après les autres, en quelques minutes, elles s'étaient toutes mises en mouvement.

Comme elles avaient été créées dans un grand élan de colère, elles étaient très énergiques, très nerveuses. Rapidement la petite fille avait commencé à leur courir après. Elle laissait sa main glisser sur les murs, comme on fait pour attraper une mouche, et dès que la trace était à sa portée, elle plaquait la paume contre le béton. Après quelques minutes de poursuite assidue, elle avait réussi à en capturer une. C'était une petite trace, un peu raide, pas plus longue qu'un crayon. Son bout était légèrement crochu. « Si j'en faisais une clef ? » s'était-elle dit.

En la tordant un peu, la trace pouvait très bien pénétrer dans la serrure. La petite fille l'avait patiemment malaxée puis, l'avait introduite dans le trou. D'un coup, la porte s'était ouverte.

À la lumière des néons, la petite fille avait aussitôt remarqué que ses mains étaient encore très sales. «Tant mieux», s'était-elle dit.

Sur la pointe des pieds, elle s'était aventurée jusqu'aux cuisines. Là, elle avait ouvert tous les frigos et s'était régalée avec les bonnes crèmes et les délicieux gâteaux qu'elle n'avait jamais le droit de manger puisqu'elle était tout le temps punie. Comme c'était une petite fille sale, évidemment, elle s'en était mis plein les doigts. «Tant mieux», s'était-elle dit.

Ensuite, elle s'était dirigée vers le bureau de la directrice.

Tranquillement, elle avait apposé ses mains sur le mur tout autour de la porte. Ses deux mains, bien à plat. Elle avait recommencé l'opération dix, quinze, vingt fois.

À nouveau les traces avaient pris vie.

Cette fois-ci, comme elle avait mangé des desserts de toutes les couleurs, elles étaient beaucoup plus belles. Et plus libres aussi. Les petits cercles laissés par ses empreintes digitales s'étaient rapidement élargis. À leur bout étaient

apparues d'étranges feuilles et des fleurs magni-
fiques. Les dessins avaient poussé comme des
lianes. Très vite, ils avaient gagné le réfectoire.

Jusqu'à minuit, la petite fille les avait longtemps suivis.

Puis, comme elle commençait à se sentir fatiguée, elle avait décidé d'aller se coucher.

Malheureusement, il n'y avait dans l'école aucune place où elle aurait pu s'installer pour passer la nuit. Pas un réduit, pas un placard à balais, pas même un petit espace sous un escalier.

– Je ne vais tout de même pas dormir sur le carrelage ! s'était-elle exclamée.

Soudain elle avait aperçu un dessin qui avait exactement la forme d'un arbre. Il partait du sol et se développait jusqu'au plafond.

Une de ses branches portait en son cœur une cabane, sans toit ni fenêtre, mais suffisamment grande pour accueillir un enfant.

Alors, doucement, la petite fille avait escaladé le mur du réfectoire.

Sous ses pieds, les dessins devenaient de véritables barreaux d'échelle.

Une fois là-haut, elle avait attrapé quelques taches d'encre et les avait disposées sur le sol. À l'instant même, elles s'étaient changées en feuilles. Cela faisait un très bel oreiller, aussi doux et confortable qu'un matelas de plumes.

Aussitôt, elle s'était endormie.

Le lendemain matin, les élèves avaient été plutôt agréablement surpris. Pour une fois qu'il se passait quelque chose à l'école ! Le temps que les équipes de nettoyage fassent leur travail, on les avait tous rassemblés dans le réfectoire, avec interdiction absolue de parler.

C'est ma grand-mère qui, la première, avait aperçu la petite fille aux mains sales.

Quand les dames et messieurs de ménage étaient arrivés, avec leurs brosses et leurs seaux, elle dormait encore. D'un coup de serpillière, ils avaient fait disparaître les racines de son arbre. Assurément, d'une minute à l'autre, elle allait être effacée, emportée pour toujours avec ses

dessins. Par miracle, les employés avaient dû s'arrêter. L'arbre était trop grand. Ils ne parvenaient pas à atteindre sa cime.

– Eh bien, dépêchez-vous ! leur avait crié la directrice.

Elle était sortie avec eux leur ouvrir la porte de l'atelier où l'on rangeait les échelles. Quelques minutes, les enfants s'étaient retrouvés seuls dans le réfectoire. De toutes ses forces, ma grand-mère avait crié :

– Vite ! Réveille-toi ! Ils vont t'effacer !

En ouvrant les yeux, la petite fille s'était aussitôt aperçue que son arbre n'avait plus de tronc. Elle ne pouvait pas se laisser glisser jusqu'au sol. Elle ne pouvait pas non plus sauter dans le vide. Alors elle s'était mise sur la pointe des pieds et avait regardé tout autour d'elle. Sur une branche, non loin de sa cabane, se trouvait un oiseau. Un très bel oiseau aux ailes jaunes et aux pattes bleues. Doucement, elle l'avait appelé. L'oiseau avait fait quelques pas et s'était arrêté à ses pieds. La petite fille s'était accrochée à son cou et tous deux s'étaient jetés dans le vide. Ils avaient fait un grand tour au-dessus des tables, puis ils avaient disparu par la fenêtre.

Quelques secondes après, d'un coup de balai, la directrice avait elle-même effacé les dernières branches de l'arbre.

À la fin de la matinée, tous les dessins avaient disparu de l'école.

Depuis ce jour, plus personne n'a eu de nouvelles de la petite fille aux mains sales.

À l'époque, ses parents avaient pourtant lancé de nombreux avis de recherche. On avait même diffusé sa photo dans les journaux. Mais comme c'était une élève rebelle, et qu'au fond personne ne l'aimait vraiment beaucoup, on avait conclu qu'elle avait fait une fugue. On l'avait attendue quelques années et puis à la longue, on avait fini par l'oublier.

Seule ma grand-mère avait continué à penser à elle.

Un jour, dans un parc, elle avait croisé un oiseau magnifique. Il avait les ailes jaunes et des taches bleues sur les pattes, comme celui du réfectoire. En s'approchant, il lui avait semblé apercevoir quelqu'un sur son dos. Une personne minuscule, sans doute un enfant. Elle avait tenté de lui parler, mais l'oiseau s'était envolé. Longtemps elle l'avait observé parmi les nuages. Avant de disparaître, l'enfant lui avait fait un signe, mais, aveuglée par le soleil, ma grand-mère n'avait pas réussi à voir la couleur de ses mains.

Peut-être était-ce tout simplement un enfant qui, ce jour-là se promenait sur le dos d'un oiseau. Peut-être était-ce vraiment la petite fille aux mains sales.

Ma grand-mère ne l'a jamais su.

C'est pourquoi, depuis ce jour, quand on se promène ensemble, on regarde toujours les nuages.

Ce serait trop bête de manquer un nouveau passage de l'oiseau jaune aux pattes bleues.

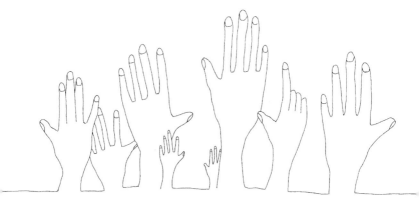

Les disputes de cheveux

Mes cheveux parlent.

Je m'en suis aperçu chez le coiffeur.

Dès le premier coup de ciseaux, j'ai entendu un petit « aïe » dans le creux de mon oreille. J'ai demandé qu'on les laisse tranquilles, mais ma maman n'a pas voulu. Le coiffeur a tout coupé. Mes cheveux ont beaucoup souffert et je suis rentré à la maison avec une coupe affreuse.

Toute la nuit, ils se sont plaints et le matin, quand je me suis regardé dans la glace, je ne me suis pas reconnu : ils avaient quitté ma tête.

Ils s'étaient installés sur mes pieds.

— La prochaine fois, on déménage pour de bon ! m'ont-ils dit.

Impossible d'aller à l'école dans cet état.

J'ai dû négocier avec eux pendant plus d'un quart d'heure pour qu'ils reprennent leur place à l'autre bout de mon corps. Je leur ai promis de ne plus jamais les couper, de les laisser choisir une coiffure différente chaque matin, et surtout je leur ai donné le droit de s'exprimer en toute liberté.

C'était une très mauvaise idée.

Depuis, je ne parviens plus à les faire taire.

En classe, ils critiquent toutes les autres coiffures. Les cheveux de mes voisins entendent tout, ils se vexent et ça crée des disputes. Les épis se dressent sur les têtes, les couettes frémissent comme des tentacules et le chignon de la maîtresse pique des colères terribles.

À la récréation, j'ai pris mes cheveux à part et leur ai expliqué les règles de l'école :

— Si ça continue, c'est la boule à zéro.

Quand je pense à la mer, les voilà qui font les vagues.

Quand je pense à mon chien, les voilà qui remuent la queue.

— Tu n'as qu'à penser à des choses plus inté-ressantes, me disent-ils, si tu crois que c'est drôle d'être toujours collés sur ta tête à écouter tes petites histoires. Être les cheveux de Napoléon

c'est sûrement beaucoup plus enrichissant. Au moins, on voit du pays. Avec toi, la seule promenade, c'est d'aller en classe.

Pour leur faire plaisir, je pars en voyage. Je vais là où il y a du vent. Alors enfin ils se détendent. Ils s'amusent, se font des petites blagues. Parfois même je prends la pluie, tête nue. Ils adorent ça.

Mais ce qu'ils préfèrent, c'est les cheveux de ma voisine.

Je ne sais pas pourquoi, ils veulent toujours se coller à elle. Si je regarde un livre, assis à ses côtés, ils glissent doucement sur mes épaules et se mêlent aux siens. Ils se caressent, se chuchotent des histoires de foulards, de chapeaux…

Quand je rentre chez moi, ils me racontent ce qu'ils entendent sur la tête de ma voisine.

Ses cheveux ne parlent que de moi.

Dans ces moments-là, je suis quand même content qu'ils aient la parole.

Si seulement, ils pouvaient juste être un peu moins bavards en classe !

Je fais de la lumière avec mes yeux

Je fais de la lumière avec mes yeux.

Longtemps, j'ai gardé secret ce pouvoir merveilleux.

Je ne m'en servais que le soir dans ma chambre pour lire en cachette quand tout le monde était couché, ou la nuit pour me promener dans les bois.

Mais il y a quelque temps, je n'ai pas eu le choix, j'ai dû révéler mon incroyable secret.

C'était le jour de la grande pêche aux thons.

Ce jour-là, exceptionnellement, j'avais eu le droit d'accompagner mon papa. Je ne l'avais

encore jamais fait mais comme je venais d'avoir
dix ans, il m'avait autorisé à partir avec lui. Nous
devions rapporter beaucoup de poissons à la
maison.

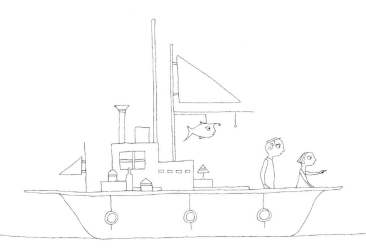

En quittant le port, la mer était calme. Il n'y
avait pratiquement pas de houle.

– On va attraper du gros, tu verras, m'a dit
mon papa.

Nous avons navigué toute la journée. Il fallait arriver avant la tombée de la nuit sur ce qu'on appelle ici « la mer aux thons » : une partie de l'océan dans laquelle se rassemblent les plus grands poissons. Quand nous y sommes parvenus, il restait encore deux belles heures de soleil devant nous.

Nous avons déployé nos filets et nous nous sommes mis à pêcher.

Les premières prises ont été bonnes. Les poissons sortaient de l'eau comme d'énormes pièces d'argent. On les hissait sur le pont à l'aide d'une grande poulie. En tombant sur le bateau, ils avaient l'air surpris, comme saisis en plein milieu d'un rêve. J'avais de la peine pour eux et pour ne pas les voir, je portais mon regard le plus loin possible, de l'autre côté du mât, vers les côtes étrangères.

C'est là que j'ai aperçu le monstre.

Au début je n'ai vu que son dos. J'ai d'abord cru que c'était une île à la dérive, mais rapidement j'ai reconnu sa nageoire dorsale, puis la bosse de son front, ses yeux, ses narines et enfin sa bouche. Il fonçait droit sur nous. De toutes mes forces, j'ai crié : « Papa ! » Mais il était trop tard. Le monstre nous a engloutis.

En une seconde nous nous sommes retrouvés dans le noir, prisonniers d'une grotte humide et chaude. D'un bout à l'autre de la cavité, nous nous sommes appelés. Heureusement, nous étions vivants tous les deux. À tâtons, mon papa m'a rejoint.

— Il faut sortir de là le plus rapidement possible si nous ne voulons pas être entraînés dans les profondeurs de l'océan, m'a-t-il dit.

Le monstre qui nous avait avalés était un genre de poisson préhistorique, l'ancêtre de la baleine. Au village, tout le monde en avait déjà entendu parler. Il se nourrissait de tout petits organismes, et avait un trou au sommet du crâne pour évacuer l'eau. C'est ce trou qu'il nous fallait trouver.

Malheureusement, tous les sacs, les caisses, les réserves de nourriture avaient été détruits, dispersés dans ses entrailles. À genoux, dans le noir, sur un terrain visqueux et gluant, il nous était pratiquement impossible de reconnaître quoi que ce soit ; et quand bien même nous aurions trouvé une lampe électrique, il y avait peu de chances qu'elle fonctionne encore. En vérité, nous étions perdus.

Alors, je me suis décidé.

Tout doucement, comme je le fais chaque soir, je me suis concentré. J'ai fermé les yeux, j'ai pensé au soleil, aux étoiles, j'ai attendu quelques minutes, et, quand je les ai rouverts, un mince filet de lumière est sorti de mes pupilles. Au début, ce n'était qu'un tout petit rayon. J'étais un peu intimidé. Mais la stupeur de mon papa et surtout ses cris de joie m'ont vite encouragé. Très vite, j'ai réussi à éclairer la grotte. Les intestins du monstre étaient tout rouges. Il y avait même des parties violettes, presque bleues. C'était très beau. Au-dessus de nous, à trois mètres de hauteur environ, on apercevait un trou.

— Comment as-tu appris à faire ça ? m'a demandé mon papa.

— Je ne sais pas, j'ai appris tout seul.

— Et tu t'en sers souvent ?

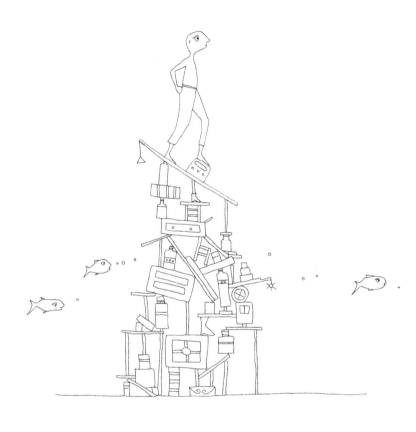

    — Seulement la nuit.

    Main dans la main, nous sommes partis à l'aventure à travers les boyaux du poisson.

Il y avait çà et là des parties de la coque, des tonneaux défoncés et quelques morceaux du mât. Nous avons tout ramené au cœur de son ventre, et là, nous avons fabriqué une sorte d'escabeau.

Je me suis glissé le premier à l'extérieur, le trou était suffisamment large pour laisser passer un homme. Mon papa m'a confié quelques planches et une bobine de ficelle pour construire un radeau une fois à l'air libre, puis il m'a rejoint. Le monstre continuait à chasser en surface, il ne s'était pas encore réfugié dans les profondeurs.

À califourchon sur son dos, nous avons construit notre bateau. Il était très fragile mais nous savions qu'il tiendrait, au moins jusqu'au lendemain matin. Plusieurs heures, le monstre est resté à la surface. Il semblait dormir, ou attendre patiemment que la nourriture entre dans sa gueule. Et soudain il a coulé. Nous nous sommes agrippés à notre radeau et il a flotté, comme une coquille de noix.

Nous savions qu'au village, ils avaient forcément entamé des recherches pour nous retrouver. La nuit était tombée, la mer était calme, il n'y avait rien d'autre à faire que d'attendre. Doucement, je me suis blotti dans les bras de mon papa et, malgré le froid et le vent qui commençait à souffler, je me suis endormi.

C'est le bateau de secours qui m'a réveillé. Sur le pont, les sauveteurs nous ont accueillis avec des serviettes et des boissons chaudes. Sans tarder, nous leur avons raconté l'histoire du monstre.

Mais ni mon papa, ni moi, n'avons parlé de mes yeux.

À la maison, j'ai pris une douche très chaude, un énorme bol de soupe et me suis couché. Quand mon papa est venu me border, dans le creux de l'oreille, je lui ai demandé :

– Pourquoi tu n'as rien dit pour mes yeux ?

– C'était tellement merveilleux, ils ne nous auraient pas crus.

Depuis, c'est notre secret. Souvent, après le repas, quand le soleil se couche, on part se promener dans la campagne. Avec mes yeux, je lui montre les musaraignes et les petits animaux nocturnes. Lui, il m'apprend leurs noms.

En revanche, je ne veux pas retourner à la pêche aux thons.

Je n'ai pas peur du monstre, mais cela me fait trop de peine de voir les poissons hors de l'eau. Et puis, il paraît qu'il n'y en a presque plus. Je préfère les laisser tranquilles, qu'ils élèvent leurs petits en paix, qu'ils meurent vieux et rejoignent ensuite leurs compagnons au paradis des poissons.

Le troupeau de genoux

Je comprends très bien qu'on soit impressionné à la vue d'un troupeau de genoux.

Pourtant il ne faut pas avoir peur.

Ils ne sont pas méchants.

Ils ne feront de mal à personne.

Ils sont juste un peu perdus, c'est tout.

Au commencement du monde, quand les premiers hommes sont apparus sur terre, ils n'étaient pas toujours très bien terminés. Beaucoup naissaient avec une jambe, un bras, ou tout simplement une oreille en moins.

C'est pourquoi il y avait par-delà les montagnes une grande plaine dans laquelle étaient stockés les membres non utilisés. Les hommes qui n'étaient pas bien finis, ou même ceux qui désiraient changer une partie de leur corps, allaient se servir là-bas. On y trouvait des mains, des pieds, des yeux, des dos… toutes sortes de choses très utiles.

Dans cette plaine, c'était toujours un peu la bagarre. Chacun voulait se constituer un corps le plus beau possible. Tous étaient fascinés par les longs cheveux blonds, les belles mains fines ou les grands yeux rêveurs… Personne n'était jamais attiré par les genoux. Les pauvres étaient toujours choisis en dernier, voire totalement oubliés. Ils attendaient sagement leur tour dans un coin, se faisaient les plus attrayants possible pour se faire adopter, mais cela ne fonctionnait pratiquement jamais.

Or, un jour, un groupe de genoux, fatigué par une trop longue attente, avait eu envie de partir faire une promenade. La nature alentour était très belle. En ce temps-là, les arbres dépassaient les plus hautes montagnes et le sol était toujours

recouvert de mousses et de fleurs multicolores. Les genoux s'étaient allongés dans l'herbe près d'un ruisseau, et tout l'après-midi, ils s'étaient raconté des histoires d'égratignures et de petits poils. Ce genre d'histoires n'intéressait jamais les autres parties du corps, elles les dégoûtaient même, mais eux les trouvaient particulièrement drôles. Ils pouvaient en inventer pendant des

heures entières sans voir le temps passer. En fin de journée, comme le soleil se couchait, ils s'étaient tout de même décidés à rejoindre leurs compagnons. En route, ils avaient continué leur étrange conversation. Bien des fois, ils avaient dû s'arrêter, à l'abri d'un rocher ou en plein milieu d'un champ, pour pouvoir rire tranquillement. Ils avaient traversé plusieurs rivières, enjambé deux ou trois collines, arpenté une grande forêt de sapins, mais quand la Lune était apparue dans le ciel, ils n'avaient toujours pas retrouvé la plaine.

Ils avaient tant ri qu'ils s'étaient perdus.

Depuis ce jour, ils cherchent encore.

L'époque préhistorique est finie depuis bien longtemps. La plaine a d'ailleurs complètement disparu. Tous les hommes ont oublié son existence. Seul ce petit troupeau de genoux croit qu'elle existe encore. Toute l'année, ils parcourent le monde à sa recherche. Ils n'ont plus beaucoup d'espoir de se faire adopter, car ils sont bien vieux et tout esquintés, mais ils aimeraient juste retrouver leurs anciens compagnons.

Si vous les croisez, vous pouvez toujours tenter de leur expliquer que nous avons changé d'époque, mais j'ai bien peur qu'ils ne veuillent rien entendre. Ils sont si vieux… Le mieux est de s'asseoir avec eux et d'écouter leurs petites histoires. Certaines personnes les trouvent un peu bêtes, mais vous verrez, en vérité, elles sont très drôles.